字的心情：

情感的多樣表達

小巫婆的心情夾心糖

文／哲也　圖／黃純玲　PiPi　林家蓁　郭敏祥

出版說明

從純粹圖畫的閱讀跨進文字閱讀，是孩子學習語文的一個關鍵階段。作為父母或老師，確實有需要為孩子挑選合適的橋樑書，幫助他們接觸文字，喜歡文字。

《字詞樂園》就是針對這個階段的學習需要而設計，有助孩子從繪本開始，循序漸進地接觸文字，順利過渡到文字閱讀。

透過輕鬆有趣的故事，可愛風趣的繪圖，引發閱讀文字的興趣，幫助孩子愉快學習。書內的導讀文章和語文遊戲，均由資深小學老師撰寫，有助父母或老師了解每本書的主題和學習重點，更有效地利用所提供的學習材料。

把文字的趣味與變化，融合在幽默的童話故事裏，先吸引孩子親近文字，喜歡文字，再通過主題式閱讀，增進語文知識，建立字形、字音、字義的基本認識，透過適量練習題的實踐，孩子可掌握字詞組合變化的原則，更可玩語文遊戲寓學於樂，培養語感及累積對文字的運用能力。

本系列將各種文字趣味融合起來，從字的形音義、字詞變化到句子結構，有效幫助開始接觸中文的孩子，一窺中文的妙趣，進而愛上閱讀，享受閱讀。

使用說明

《字詞樂園》系列共有七本書，每本書以不同的中文知識點為主題：

一、《英雄小野狼》——字的形音義：字形、字音、字義。

二、《信精靈》——字的化學變化：字詞組合。

三、《怪博士的神奇照相機》——字的排隊遊戲：字序及聯想字詞。

四、《巴巴國王變變變》——字的主題樂園：量詞、象聲詞及疊字。

五、《十二聲笑》——文字動物園：與動物有關的成語及慣用語（如斑馬線、牛皮紙、鴨舌帽等）。

六、《福爾摩斯新探案》——文字植物園：與植物有關的成語及慣用語（如雪花、花燈等），以植物的外表和性情形容人的表達方式。

七、《小巫婆的心情夾心糖》——字的心情：表達情緒的詞語，分辨情緒字眼的強弱程度。

目錄

目錄列出書內每個故事最關鍵的語文知識重點。父母或老師可因應學習需要為孩子挑選故事，也可以讓孩子隨着興趣選讀故事，再引導他們學習相關知識。

練習題及親子活動

每個故事後有相關的練習題和親子活動，幫助孩子複習學過的內容，也提供機會給家長與孩子一起玩親子遊戲。

目錄

小巫婆的心情夾心糖

字的心情：情感的多樣表達

我要生氣了

（黃純玲繪）

「我不要喝牛奶！」

早餐桌上，妮妮的妹妹大叫。

今天早上，鬧鐘沒有響，全家都起晚了，爸爸媽媽急着要去上班，所以，當姊姊的妮妮要負責餵小妹妹。

可是妹妹不肯喝牛奶。

真討厭。妮妮想。可是她還是耐着性子。

「妹妹乖，吃了土司，吃了果醬，吃了煎蛋，再喝牛奶。」

於是，妹妹吃了土司，吃了果醬，吃了煎蛋，可是……

「我不要喝牛奶！」她大叫。

真氣人。妮妮皺起眉頭。「快喝，不然我要生氣了。」

「不要！」

真可惡！

這時候，媽媽提着皮包從房間匆匆忙忙走出來。

「快讓妹妹把牛奶喝了！」媽媽說。

爸爸也一邊打着領帶從房間匆匆忙忙走出來。

「你到底會不會餵呀？」爸爸說。

喀嚓，妮妮折斷一根牙籤。

氣死我了。

「妹妹！」她咬牙切齒的說：「喝牛奶！」

「不要！」

「不要惹姊姊生氣！」

真讓人火大。

「我才不怕。」

爸爸媽媽匆匆忙忙打開門，臨走前……

「怎麼妹妹還沒喝牛奶？」媽媽說。

「你這姊姊怎麼當的？」

「一點小事都做不好。」爸爸說。

碰，門關上了。

妮妮恨得牙癢癢的，眼睛快要噴出火來。

「姊姊要生氣了，姊姊生氣是很可怕的！」

妮妮說：「喝！」

「你氣呀，你氣呀。」妹妹站起來跳舞：「不喝不喝我偏不喝。」

妮妮氣得火冒三丈，一掌拍在桌上。

喀嚓！早餐桌被劈成兩半。

「你喝不喝？」

「我不喝！」

妮妮氣得暴跳如雷，打開門，走到街上，把一輛公車抬起來，舉到頭頂上。

「你喝不喝？」

「我不喝！」

妮妮氣得怒氣衝天，把公車上的人都倒出來，然後把公車一扔，讓它飛到太平洋裏。

「你喝不喝？」妮妮回到家端起牛奶問。

「我不喝！」妹妹叫。

妮妮氣得大發雷霆，拔起一根電線桿，往地上一摔，地球就被砸成兩半。

「哇。」妹妹趴在窗户上看得目瞪口呆。

妮妮回到家端起牛奶，熊熊的怒火把整個房子照得紅通通的。

「你喝不喝？」

「我喝。」妹妹乖乖點頭，端起牛奶杯。

這時候電話響了。

「喂？」妮妮接起電話。

「妮妮，」電話那端傳來媽媽的聲音：「我突然想起來，

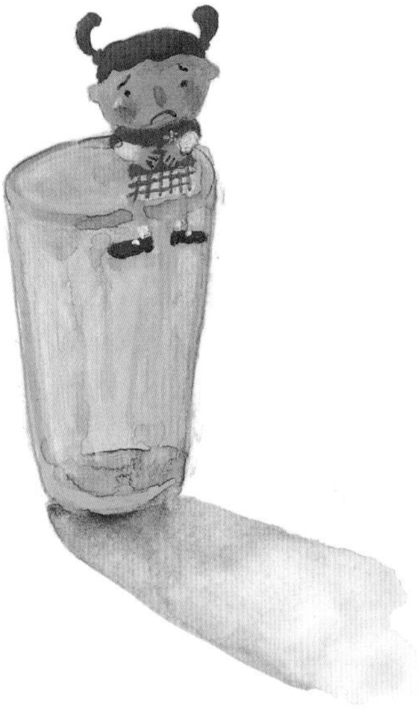

那瓶牛奶過期了，不要讓妹妹喝。她應該還沒喝吧？」

妮妮回頭，妹妹鼻子上沾着牛奶漬，杯子已經空了。

「酸酸的。」妹妹眼淚滴下來。「為甚麼要逼我喝酸牛奶？」

咻！熊熊的怒火熄滅了。

妮妮掛了電話，抓抓頭，走出門去，想辦法把地球的裂縫補起來。

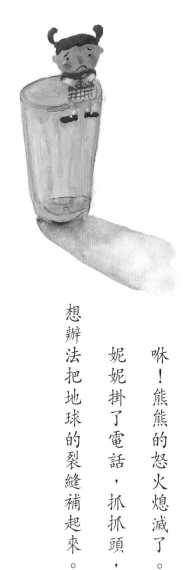

我要生氣了

*生氣雞，愛生氣，看看他有多生氣

星期一　咬牙切齒

星期二　眼睛噴火

星期三　火冒三丈

星期四　暴跳如雷

星期五　怒氣衝天

星期六　大發雷霆

星期日……一直生氣還真累！

值日生：妮妮

企鵝爸爸，父親節快樂！

今天是南極的父親節。

企鵝爸爸一整天心情都很好，因為早上出門前，企鵝媽媽和三個企鵝寶貝對他説：

「下班回家，我們會給你一個驚喜喔！」

「到底是甚麼驚喜呢？」一整天，爸爸都心裏甜甜的。

一下班，企鵝爸爸就搖搖擺擺跑回家，打開門……

（林家蓁繪）

「父親節快樂！」三個企鵝寶貝抱着爸爸喊：「我們有禮物要送給你！」

爸爸聽了，喜上眉梢。

最小的小寶貝拿出一個禮物盒，打開一看，裏面是一條小魚乾。

「爸爸，高不高興？」企鵝寶貝們喊。

「高興高興。」爸爸苦笑着。他最討厭吃魚乾了。

第二個寶貝又拿出一個禮物盒，打開一看，裏面是一把扇子。

「爸爸，高不高興？」

企鵝寶貝們喊。

「啊，我好開心喔。」爸爸苦笑着說。南極冷得要死，哪需要扇子。而且他最近感冒，最怕吹風。

第三個寶貝又拿出一個禮物盒，打開一看，裏面是一根冰棒。

「爸爸是不是更高興了？」企鵝寶貝們喊。

「是呀，我真是快樂無比啊。」爸爸苦笑着說。南極本來就冰天雪地，誰還要吃冰。而且他有蛀牙，一吃冰就會痛得要命。

爸爸雖然說高興，可是看起來實在不像高興的樣子。

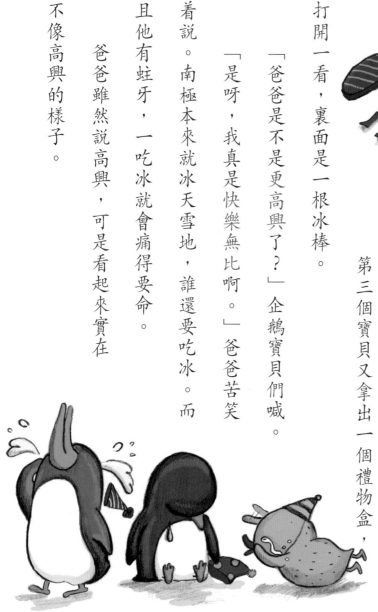

所以三個企鵝寶貝就哭了。

「爸爸不喜歡我們的禮物！」

「爸爸很喜歡。」爸爸急着說：

「爸爸很高興。」

「有多高興？」

「爸爸高興得心花怒放！」

爸爸只好說。

可是寶貝們聽不懂，他們從來沒看過花。

「爸爸高興得雀躍萬分！」

爸爸只好說。

可是寶貝們聽不懂，他們從來沒看過麻雀。

「爸爸高興得……簡直樂壞了！」

爸爸急得眼眶發紅。

三個寶貝都呆住了，他們從來沒看過爸爸哭。

媽媽趕緊從廚房走出來。

「親愛的，那三份禮物是他們跟你開的玩笑啦！」

媽媽手裏拿着一個信封說：「你看！真正的禮物在這裏——七天的度假招待券一張！我抽獎抽到的喔！」

這次，爸爸聽了，
真的樂壞了！
度假耶！辛苦工作的爸爸，最希望離開冰天雪地的南極，去温暖的夏威夷海邊度假了！
「萬歲！」爸爸喜不自禁，跳起來歡呼。
「爸爸，高不高興？」
企鵝寶貝們喊。
「豈止高興而已，」
爸爸說：「簡直是欣喜若狂！」

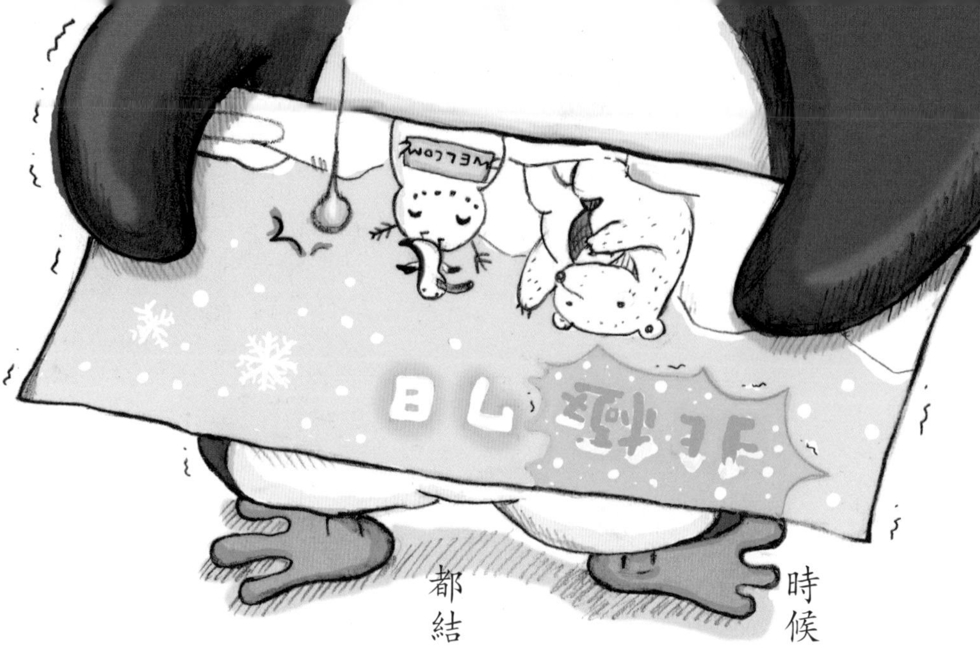

全家正歡天喜地的時候，爸爸拆開信封一看，呆住了。招待券上寫着：北極七日遊……一顆眼淚從爸爸眼眶滴下來。「又是冰天雪地的地方……」爸爸心裏都結冰了。

媽媽卻笑着對寶貝們說：「你們看，爸爸高興得喜極而泣了。」

「嗯，太好了。」三個企鵝寶貝都點點頭。

值日生：小企鵝黑麻糬

企鵝爸爸，父親節快樂！

＊快樂造句大集合

一、有人送小強情人節巧克力，讓他心裏甜甜的。

二、黑麻糬游泳得第一，她高興得雀躍萬分。

三、鋼琴演奏得到滿堂彩，小寧簡直樂壞了。

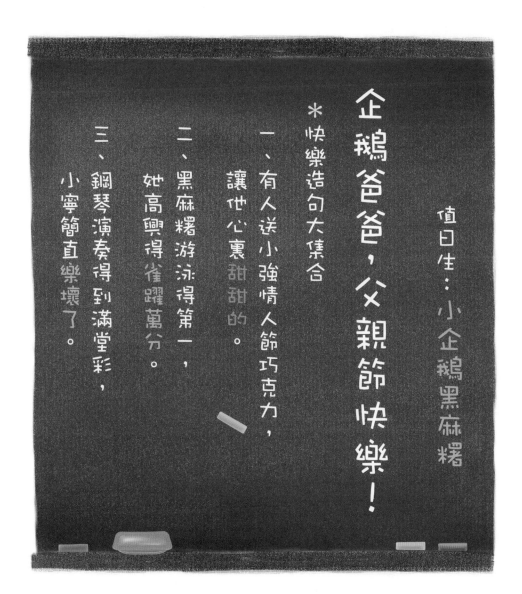

天使的心情遊戲

（PiPi繪）

柔柔軟軟的白雲裏，有個閃閃亮亮的天堂。

天堂裏，白鬍子老天使，手指着小天使的小鼻子。

「你這個搗蛋鬼！」老天使罵說。

小天使嘟着嘴，低着頭。

沒錯，她是個調皮搗蛋的小天使，整天貪玩也就算了，今天竟然還把一整袋人們的願望倒進海裏，害得許願的人都失望了。

「你這樣讓人們傷心，真是不應該！」老天使說。

「可是，甚麼是傷心呢？」小天使問。

小天使是不懂人的心情的，因為他們沒有人的心，所以每天心情都差不多，很無聊，才會去調皮搗蛋。

該是教她懂得感受「心」的時候了。每個天使都要上過這一課。

「好吧，」老天使說：「那就讓你感覺一下人的心情吧！」

老天使伸手，輕輕拔掉小天使的翅膀，就好像拔插頭一樣，接着把一顆心放進她胸口，就好像把草莓塞進奶油蛋糕裏一樣。

「好啦，」老天使拍拍手：「現在心情怎麼樣？」

「沒變啊。」小天使睜着大眼睛。

「哼！」老天使別過頭去，兇巴巴的說：「你這個壞天使！我再也不理你了！」

有一種酸酸的感覺，從小天使心裏冒出來。

一種酸溜溜、想哭的感覺。

小天使紅了眼睛，咬着嘴唇。

「現在心情怎麼樣？」老天使回頭問。

「不舒服……難過……」小天使說。

「這就是人們傷心的感覺，懂了嗎？」

「嗯……」小天使點點頭。

接着，小天使的心頭，浮起一種「真希望那時候沒有那樣做」的感覺。

「這就是後悔的感覺。」老天使說，好像可以看到小天使的心似的。「來吧，我們去把那些願望撈起來吧。」

「還可以撈回來？」小天使眼裏閃着光芒。

「得要快點，」老天使笑着說：「不然太陽下山就來不及了。」

在美麗的大海上，老天使和小天使坐着一艘月牙兒似的小船，拿着捕蝶網到處撈願望。

小天使的心裏，各種心情變換着。

有時候，想到可以把願望都撈回來，心裏好像閃爍着星光。

「這是希望。」老天使說。

有時候，擔心太陽下山，心裏緊緊的，好擔心。

「這是慌張和着急。」老天使說。

有時候，
撈得手好酸，
心裏忍不住有
火氣。

「這就是生氣。」老天使說。

終於，在夕陽下，所有的
願望都撈回了船上。

老天使把一個個濕淋淋的願望
拿起來晾乾，唸給小天使聽。

有一個生了重病的小女孩，希望能夠有最後一次機會，到兒童樂園玩。

有一個媽媽，流着淚許願，希望能找到走失的孩子。

有一隻流浪的小狗，希望能找到牠的家……

小天使心裏有一種奇怪的感覺。

「想哭……但是又很温暖，熱烘烘的。」她說。

「那是愛。」

老天使摸

着她的頭髮說：「那是一種很寶貴的感覺。」

在夕陽下，老天使捧起所有的願望，灑向空中，讓它們飛走。

「這樣，所有的願望都會實現的。」老天使說：「咦，怎麼還有一個？」

甲板上，出現了一個新的願望。

「那是我的願望啦。」小天使臉紅了，第一次有害羞的感覺。

老天使把它唸出來：「但願我變成一個好……」

「噓，不要唸出來嘛。」

夕陽下，小天使的小願望也飛走了。

小天使笑得好像陽光一樣燦爛。

值日生：小天使

天使的心情遊戲

*「心情號」上有各種心情，把你現在的心情也填上去吧！

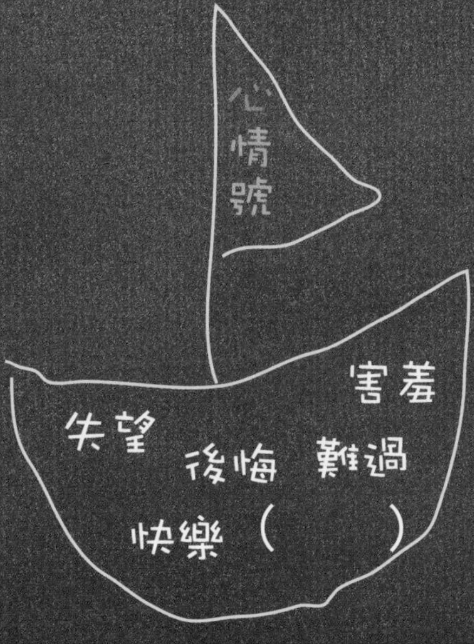

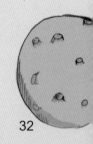

小熊兄妹的快樂旅行

（林家蓁繪）

「你看！那就是人類！」小熊哥哥拿着望遠鏡説。

「好可愛喔！」小熊妹妹也説。

小熊兄妹坐着飛碟，從小熊星座飛來地球過暑假。

在地球上空，大概一棵椰子樹那麼高的地方，他們先把飛碟停在空中，拿着望遠鏡，觀賞一下地球人。

「我可以跟他們交朋友嗎？」妹妹問。

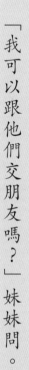

「可以呀。」哥哥說：「不過你要先懂得他們的表達方式。」

「甚麼叫表達方式？」

「就是不同的心情，會做出不同的表情和動作來表示。」哥哥說：「比方說，我們小熊星人高興的時候，會怎麼做？」

「會咬人家一口。

「對，可是地球人高興的時候

會笑。」哥哥說：「就像這樣。」

哥哥把嘴巴咧到耳根，露出可怕的尖牙齒。「好可怕。」妹妹說。

「對，可是要跟地球人交朋友，就要多笑一笑。」

哥哥拿出一本成語書。

「你看，地球人的表達方式，這裏都有寫。我唸左頁，你唸右頁。」

「笑容滿面，」哥哥唸。「表示高興！」妹妹說。

「手舞足蹈，」「表示高興得要命！」

「愁眉苦臉，」「表示難過，」

「搖頭歎氣，」「表示難過得要命！」

「好了，先練習到這裏，」哥哥把書合起來。「我們交朋友去吧！」

咻！飛碟降落了。

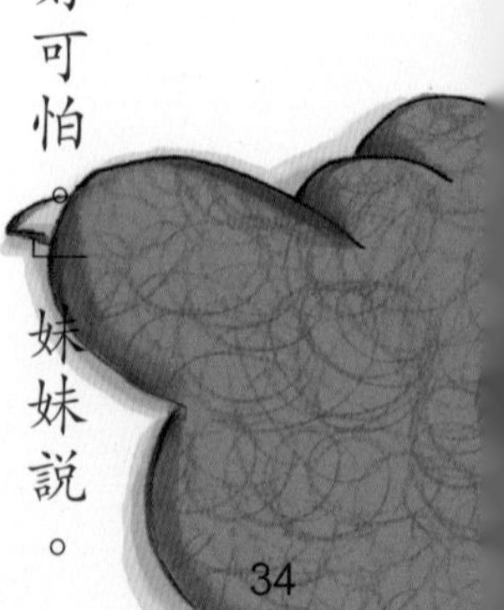

GLOBE
TAXI

「記得要笑容滿面喔。」哥哥提醒說。

於是小熊兄妹咧開血盆大口走了出來。

「哇！」所有人都舉起雙手，驚慌失措，急得團團轉。

「這就是手舞足蹈吧？」妹妹問。

「對，這表示他們高興得要命。」哥哥說：「太好了！我們也手舞足蹈吧！」

於是他們就揮着爪子、追着人們到處跑，看起來比較像是張牙舞爪。終於，讓他們追到了一位先生。

「讓我們作朋友吧！」

小熊妹妹撲到那位先生名貴的西裝上面，抓出兩個爪痕。

那位先生氣得咬牙切齒，滿臉通紅。

「啊，他臉紅了，那是為甚麼？」妹妹問哥哥。

「趕快查一查。」哥哥翻開書：「有了，這裏都有寫。我唸左頁，你唸右頁。」

「面紅耳赤，」哥哥唸。

「表示害羞！」妹妹說。

「原來是這樣，」兄妹倆抓着那位先生的名貴西裝，又抓出好幾個爪痕。

「不要害羞嘛！」

「哇！我的西裝被抓爛了啦……」

就這樣，小熊兄妹在地球上抓爛了

好多人的衣服，最後才依依不捨的上飛碟回家。

咻！飛碟起飛了。

「我好捨不得這些朋友喔。」妹妹說。

「他們也是啊，」哥哥說：「你看，我們要回去，他們都難過得要命呢。」

的確，飛碟下方，被小熊兄妹抓得衣服又髒又破的人們，全都愁眉苦臉，搖頭歎氣。

「別難過！」妹妹向他們揮手說：

「我們很快就會再回來的！」

「啊，真是美好的旅行啊！」小熊兄妹心滿意足的說。

然後，他們開心的互相咬了一口。

值日生：小熊兄妹

小熊兄妹的快樂旅行

*表演題

這是小熊星人最喜歡的五種表達方式，
請你也試着做做看！

一、搖頭歎氣
二、張牙舞爪
三、驚慌失措
四、面紅耳赤
五、手舞足蹈

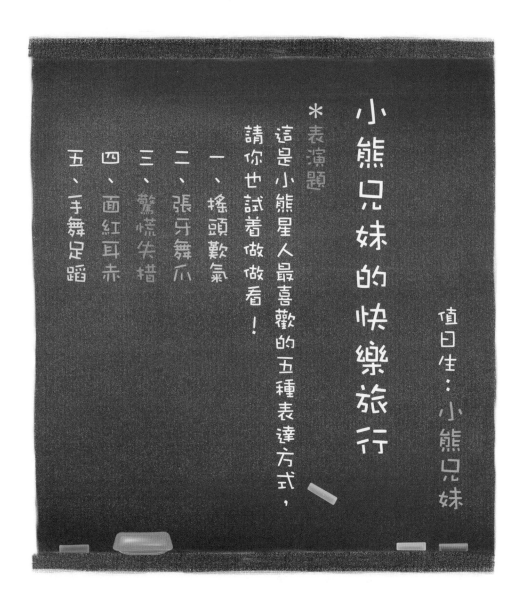

比傷心

（PiPi繪）

從前從前，有一個國王，他本來是個好國王，可是有一天，突然變了。

那是因為，有一次，國王一不小心跌一跤，這時候，旁邊的大臣正好在看漫畫書，哈哈哈的笑很大聲。

國王悶悶不樂站起來，一邊揉膝蓋，一邊下令說：

「從今以後，本王難過的時候，大家都不准高興，而且還要更難過才行！越難過、越悲傷，本王越是重重有賞！」

於是，第二天早上，國王才剛坐上他的寶座，就有人哭了。

「怎麼回事？」國王皺眉頭。

有個大臣啜泣着說：「大王……大王臉上長了一顆青春痘，我看了，心頭一酸，眼淚就忍不住往外掉。」

唉，真是個忠臣啊。國王很感動，就賞他一大把糖果。

這下子，其他大臣看了，都覺得不努力不行。

嗡……一隻蚊子飛過來在

國王手上叮了一個包。

「蚊子牠、牠竟然……」大臣一號哭得泣不成聲：「唉……真是傷透了我的心。」

大臣一號馬上得到一大把牛奶糖。

「傷心算甚麼？」大臣二號哭得捶胸頓足：「蚊子一叮下去，我就心碎了。」

大臣二號得到一大把太妃糖。

「心碎算甚麼？」大臣三號痛哭失聲：「我已經心灰意冷了。」

老天爺啊，為甚麼？為甚麼蚊子要叮國王呢？真是絕望啊……」

大臣三號得到一大把巧克力。

這時候，有一位最老的大臣坐在角落，一直沒有說話。

國王問他：「為甚麼你不出聲呢？」

「因為我已經苦不堪言了。我的痛苦，已經沒有話可以形容了。」老臣說。

國王聽了，感動得眼眶泛紅。

「你為了本王被蚊子咬，難過成這樣？」國王説，手伸進口袋裏，準備賞他一大把金幣。

「不，」老臣搖搖頭，白花花的鬍子上沾着淚珠：「我是為了老百姓難過，因為他們有一個愛聽假話的國王，不久以後，他們就真的要叫苦連天了。」

國王的臉漲紅得像顆橘子。

而那羣大臣的臉，卻漲紅得像兩顆橘子，因為他們腮幫子裏的糖果，還沒嚼完呢！

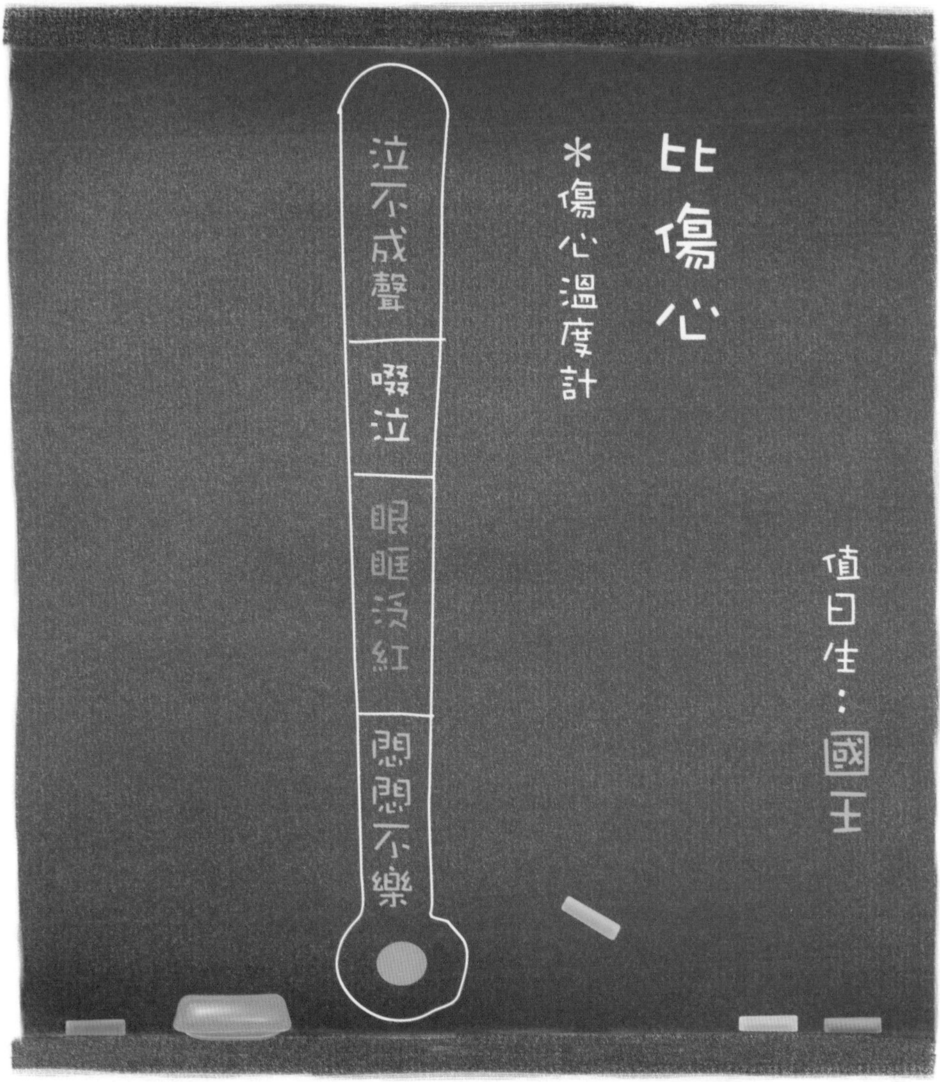
比傷心
*傷心溫度計
泣不成聲
啜泣
眼眶泛紅
悶悶不樂
值日生：國王

淘氣公主的填字遊戲

（PiPi繪）

有一天，國王和王后出國去旅行。

「哈哈哈！」公主大笑說：

「現在我最大！」

「公主，」皇家教師說：「你的功課還是要做啊。」

公主卻眨着大眼睛想：「我可以找個帥帥的王子來幫我寫啊！」

第二天，全國到處都貼滿了海報：

「誰能娶到美麗的公主呢？快來參加填字遊戲擂台賽！」

馬上就有三個王子來報名。

擂台賽主持人仔細看了看這三位王子。一位是星星國的王子，一位是猩猩國的王子，一位是信心國的王子。長得最帥的是星星國的王子，因為他的眼睛亮晶晶。

「好！比賽開始，請三位王子準備搶答。」主持人說：「第一題，請在『笑』後面填進兩個相同的字！」

信心王子很有信心的回答：「笑咪咪！」

猩猩王子雄糾糾氣昂昂回答：「笑呵呵！」

星星王子抓着頭，想半天才回答：「笑嘻嘻！」

「全部答對了！各得一分！」主持人說：「第二題，請在『氣』後面填進兩個字！」

信心王子答：「氣沖沖！」猩猩王子答：「氣呼呼！」輪到星星王子，他想了半天，答不出來，想棄權。

主持人着急的說：「隨便回答一下嘛！」

「氣……氣……氣死人？」星星王子回答。

「答對了！各得一分！」

信心王子和猩猩王子，氣沖沖抗議：「這樣也算答對嗎？」

「當然，」主持人挪挪眼鏡：「我剛剛只說填兩個字，又沒說要一樣的字。下一題！」

請在『哈哈』前面加一個字！」

「笑哈哈！」「苦哈哈！」星星王子又想了半天才說：「哈哈哈。」

「又全部答對了！」主持人好高興。

信心王子和猩猩王子，氣呼呼抗議：「這樣也算答對嗎？」

「我又沒說三個字

不能一樣。」主持人抓抓鬍子說：「下一題，請在『兮兮』前面加字！」

「髒兮兮！」「慘兮兮！」

星星王子又想了半天才說：「可憐兮兮。」

「又全部答對了！」主持人宣佈。「平手！」

其他兩個王子跳了起來：「這樣也算答對嗎？」

「我又沒說只能加一個字！」本來笑嘻嘻的主持人，忽然變得兇巴巴。「你們抗議太多次了，罰你們下一題停止回答。」

主持人轉頭笑呵呵對星星王子說：「下一題是連答題，仔細

聽好囉，請用題目的兩個字，變成四個字，不能加其他的字喔！很難吧？現在請答題！高興？」

星星王子說：「高高興興！」「開心？」「開開心心！」「甜蜜？」「甜甜蜜蜜！」「風光？」「風風光光！」「全部答對！太厲害了！」主持人宣佈：「星星王子遙遙領先，獲勝！」於是，星星王子就迷迷糊糊成了冠軍。

其他兩位王子則可憐兮兮的走了。「現在宣佈獎品！」主持人說：「恭喜你，得到幫公主寫功課、遛狗、擦鞋

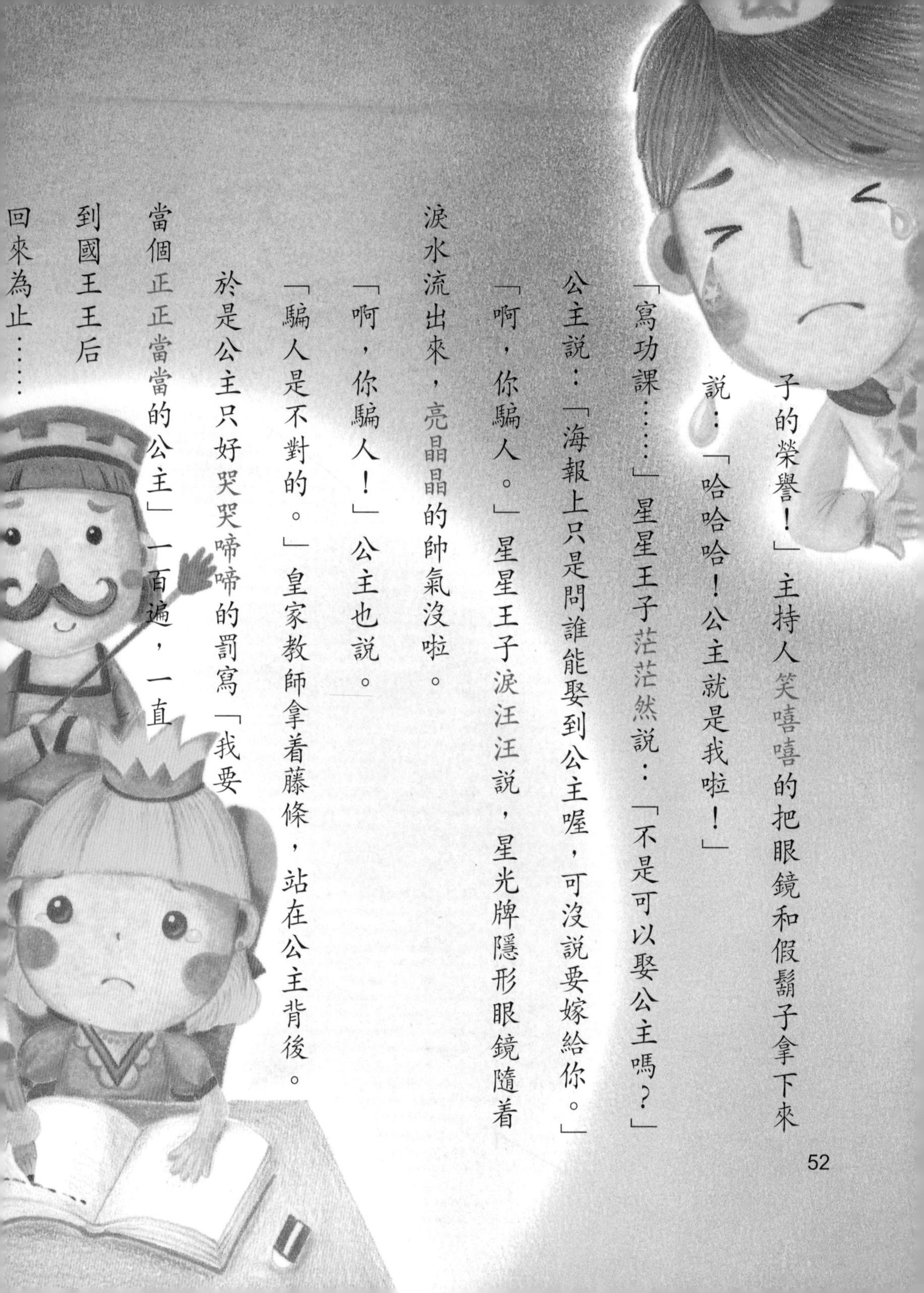

子的榮譽！」主持人笑嘻嘻的把眼鏡和假鬍子拿下來說：「哈哈哈！公主就是我啦！」

「寫功課……」星星王子茫茫然說：「不是可以娶公主嗎？」

公主說：「海報上只是問誰能娶到公主喔，可沒說要嫁給你。」

「啊，你騙人。」星星王子淚汪汪說，星光牌隱形眼鏡隨着淚水流出來，亮晶晶的帥氣沒啦。

「啊，你騙人！」公主也說。

「騙人是不對的。」皇家教師拿着藤條，站在公主背後。

於是公主只好哭哭啼啼的罰寫「我要當個正正當當的公主」一百遍，一直到國王王后回來為止……

淘氣公主的填字遊戲

值日生：淘氣公主

*淘氣公主的回家功課，請找出錯誤的疊字：

一、兇巴巴　瘦巴巴　苦巴巴

二、光溜溜　笑溜溜　烏溜溜

三、慘兮兮　髒兮兮　冷兮兮

四、興沖沖　淚沖沖　氣沖沖

五、喜洋洋　樂洋洋　得意洋洋

答案：

二、笑溜溜

三、冷兮兮

四、淚沖沖

五、樂洋洋

小巫婆的心情夾心糖

（黃純玲繪）

王子正要去打惡龍，走過森林的時候，看到一家便利商店。

「叮咚！歡迎光臨！」櫃台小姐是個可愛的小巫婆。

王子拿了一瓶橘子汽水，正要結帳的時候，看到架子上，擺滿了各式各樣的糖果罐。

「歡迎試吃！」小巫婆說：「這是我們的魔法新配方——心情夾心糖！」

「對不起，沒空。」王子說。

「可不是普通的夾心糖喔。」小巫婆說：「裏面夾的不是巧克力夾心，也不是奶油夾心，夾的是各種心情的心！」

「跟你說沒空啦。」王子說：「急着去打惡龍啦。」

「你這人性子很急喔。」小巫婆拿出一顆小圓糖。

「吃一顆看看嘛。」

喀啦！王子咬開小圓糖，甜甜的夾心流出來。嗯……

「還有甚麼口味的？」王子搬了一把板凳坐下來。

「你不是沒空嗎？」小巫婆笑咪咪說。

「不急不急。我爸常說欲速則不達。剛剛那顆是甚麼夾心？」

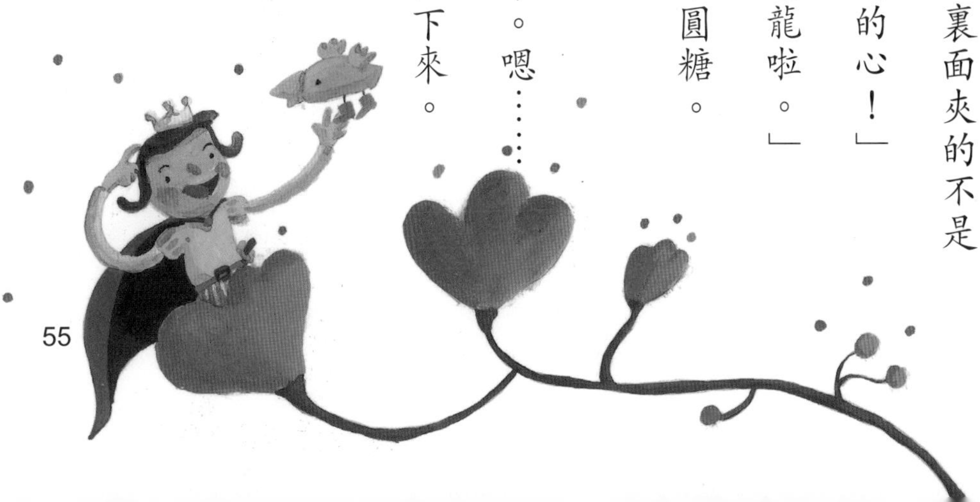

「那顆夾的是耐心。」小巫婆拿出一顆小方糖。「再試試這一顆！」

喀啦！王子咬開小方糖，香香的夾心流出來……

「啊！」王子眼裏閃爍着光芒。「花兒為甚麼會開？鳥兒為甚麼會叫？古老的黑森林邊為甚麼會有便利商店？還有，這顆糖到底夾的是甚麼心？快告訴我！」

「哈，這顆夾的是好奇心。」小巫婆說。

「真奇妙！心情夾心糖，到底有多少種夾心？」

「那可多了，有安心、關心、熱心、決心、窩心……」小巫婆朝架子上一罐一罐指着說：「粗心的人就給他吃細心，漫不經

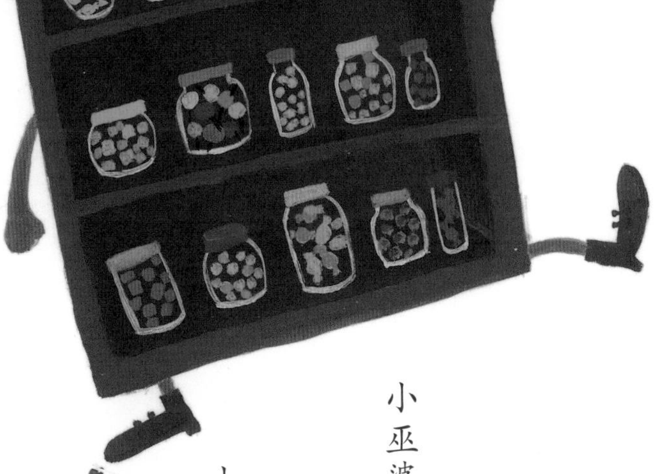

心的人就該吃專心，傷心的人就該吃開心！還有一些特別的夾心呢，試試這顆！」小巫婆拿出一顆小扁糖。

喀啦！王子一咬，哇！差點吐出來。「這是甚麼夾心啊！」王子表情好像吃到爛泥巴。

「噁心。」

「誰會買這種夾心啊。」

「銷路可好呢。就像臭豆腐一樣嘛。」小巫婆吐舌頭。

「我才不信！」

小巫婆把另一顆

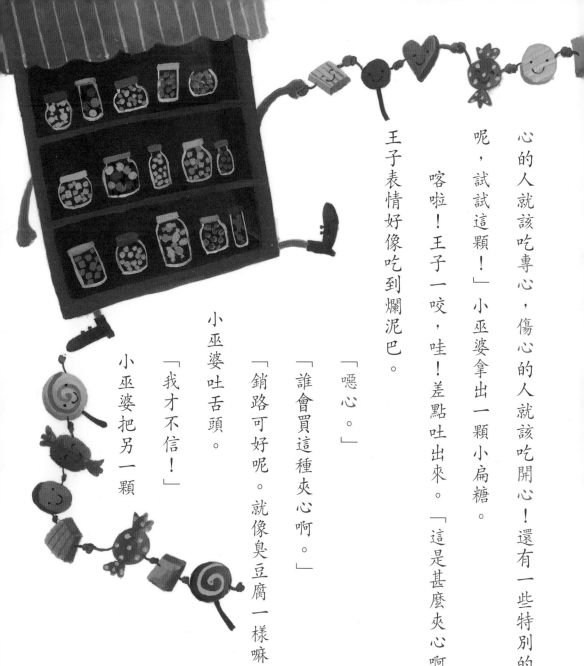

夾心糖丟進王子嘴裏。

「現在信不信？」

「信了。」

「嘿，這顆是信心。」

這時候，叮咚！便利商店的門開了。

一隻大火龍探頭在門口喊：「阿姨，我送貨來了！」

王子從椅子上跳起來。

「惡龍！放馬過來吧！」王子拔出寶劍大叫。

火龍抱着一箱柳橙汁，呆住了。

「先生，您的橘子汽水還沒付錢。」小巫婆客氣的說。

「啊，對不起。」王子急急忙忙掏口袋。「對不起，只有千元大鈔，找得開嗎？」

「沒問題，我們還贈送三顆心情夾心糖，請問您要甚麼樣的夾心？」

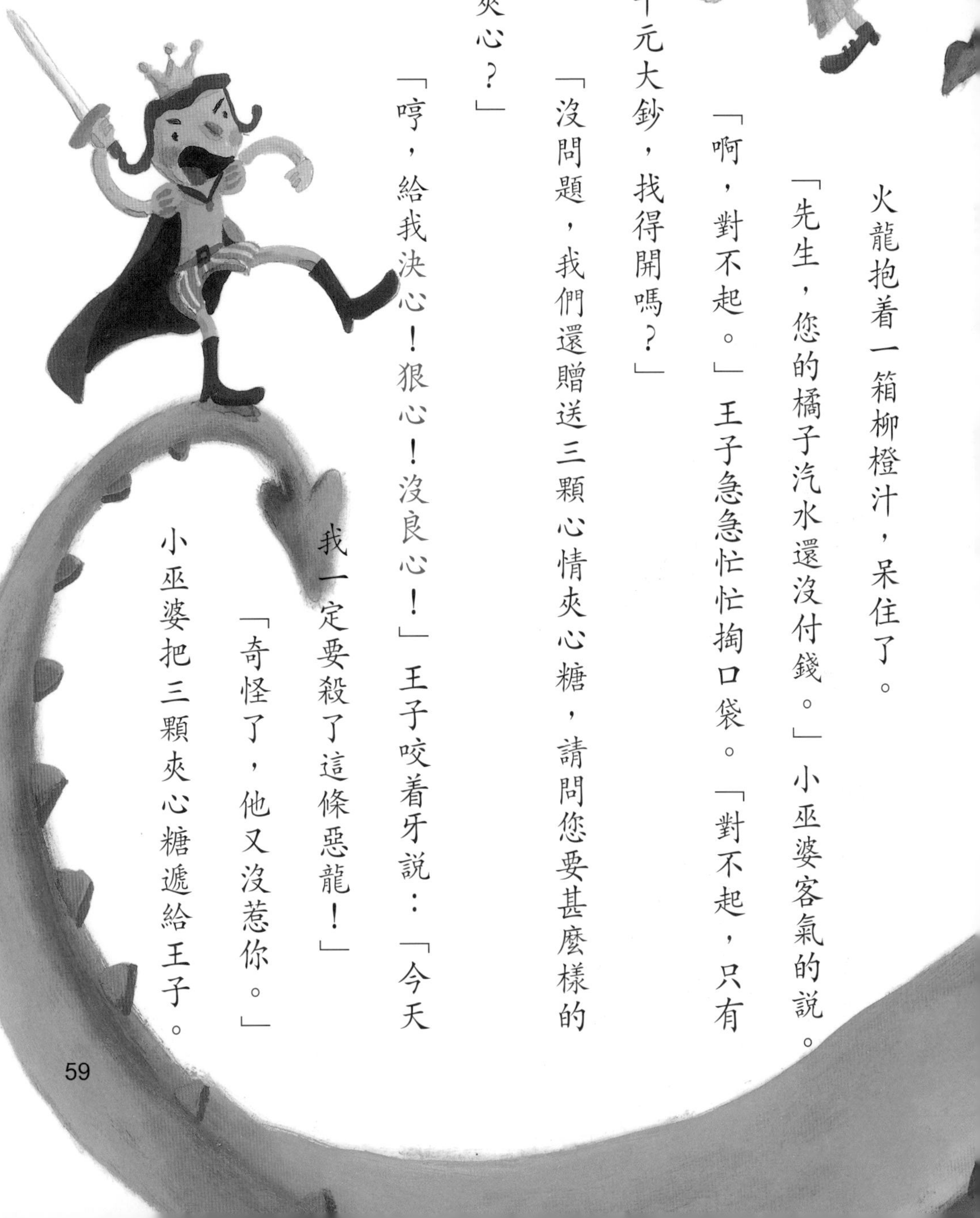

「哼，給我決心！狠心！沒良心！」王子咬着牙說：「今天我一定要殺了這條惡龍！」

「奇怪了，他又沒惹你。」

小巫婆把三顆夾心糖遞給王子。

喀啦！喀啦！喀啦！

三顆夾心香香甜甜的流出來……

「雖然說，童話故事裏王子都得殺惡龍，」王子放下寶劍，喃喃自語說：「可是，誰不是父母養大的？難道我要讓他的父母傷心？唉。」

王子紅着眼眶，幫火龍把一箱柳橙汁搬進來。

「他是怎麼了？」火龍問。

「沒甚麼，」小巫婆聳聳肩。「我只是給了他愛心、同情心，還有一顆天下父母心……」

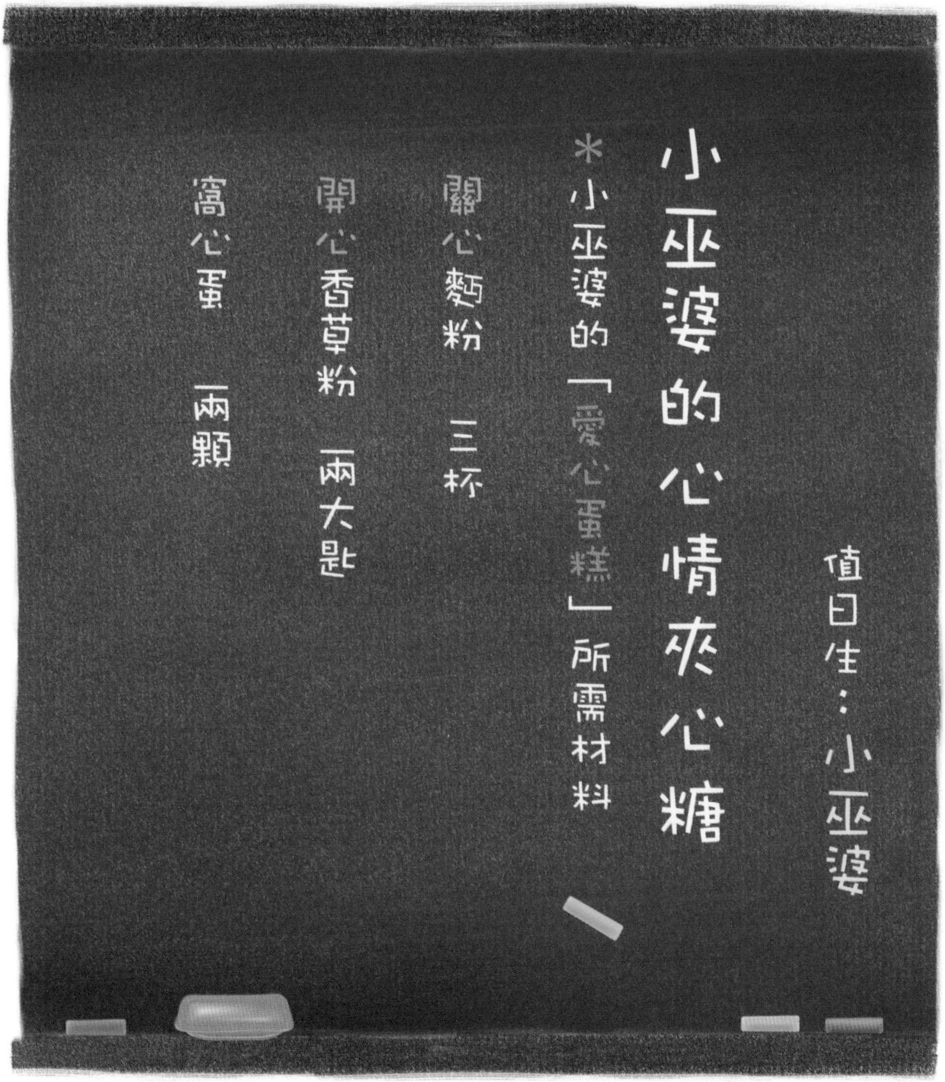
值日生：小巫婆
小巫婆的心情夾心糖
*小巫婆的「愛心蛋糕」所需材料
關心麵粉　三杯
開心香草粉　兩大匙
窩心蛋　兩顆

怪博士的心情調整機

（郭敏祥繪）

怪博士這幾天很傷心，因為前幾天他去剪頭髮，可是理髮師一邊剪，一邊看電視，所以……

「哇！變西瓜皮啦！」怪博士抱着頭。「再也沒有女生會喜歡我了……」

連續好幾天，怪博士都蒙在棉被裏，不敢出來見人。

「博士，你這樣不行啦。」助手小西說：「人要懂得調整心情才行。」

「啊！你說得對！」怪博士從棉被裏跳出來。「讓我發明一

台心情調整機！」

乒乒乓乓！叮叮噹噹！

實驗室裏，齒輪運轉着，儀器冒着火花……

「終於成功了！」怪博士打開實驗室說：「最新發明，心情調整機！」

博士手裏拿着一件小背心。

「博士，我看你的心情已經好了嘛。」小西說。

「不。」博士摀着胸口說：「我的心已經受傷很深了。你看不出來。」

「那這小背心可以調整心情嗎？」

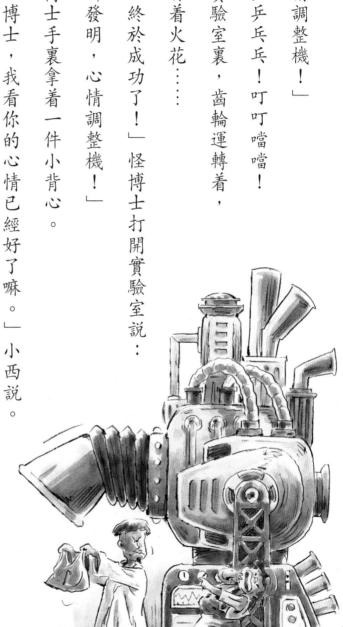

「看我的！」博士穿上小背心，西瓜皮髮型加上小背心，實在很好笑。小西笑倒在地上。

「我受傷得更深了，小西，」博士拉開胸前的拉鍊說：「快跳進我的心，幫我調整心情！」

「跳進你的心？」小西開玩笑的用腳踏向博士的胸口。「這樣嗎？」

咻！小西不見了。

「哇，這是哪裏？」只聽見小西的聲音：「怎麼有一扇門？」

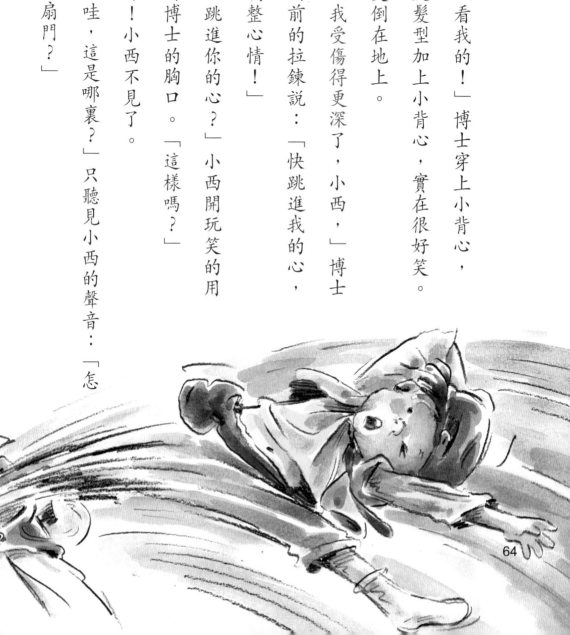

「那是心門，請你打開我的心門。」

小西推開門，看見一座美麗的山谷。

「是山谷耶！」

「對，我的心情已經降到谷底了。」博士說：「快去找找，有沒有一塊大石頭？」

小西走進山谷裏，一羣小鹿蹦蹦跳跳跑過來。

「怎麼有鹿？」

「第一次有人到我心裏嘛，我一害羞，心中就小鹿亂撞。」

「三八。」小西說。

再往前走，看到天空中吊着好幾個水桶。

「這又是甚麼？」

「第一次有人到我心裏嘛，我一緊張，心裏的水桶就七上八下。」

「無聊。」小西說。

再往前走，果然看到一顆大石頭，用繩子打了結，吊在半空中。

「就是這個嗎？」

「對，請解開我的心結，放下我心中的大石頭。」

小西解開心結，石頭轟的一聲掉下來。

「啊，心裏舒服多了！」博士說。「請再吹散我心中的烏雲！」

小西抬頭往空中一吹，果然，烏雲都散開了，陽光照射下來，一朵朵鮮花在山谷中開放，好美呀！

「啊，真是心花朵朵開呀！」博士大笑說。

這時候，一羣小學生走過來。

「你們看，那個怪叔叔頭髮好好笑喔！」

山谷裏馬上又烏雲密佈，花朵都謝了，大石頭重新又吊上空中……

「博士！這樣不行啦！」小西跺腳。「快放我出去！人要自己懂得調整心情才行啦……」

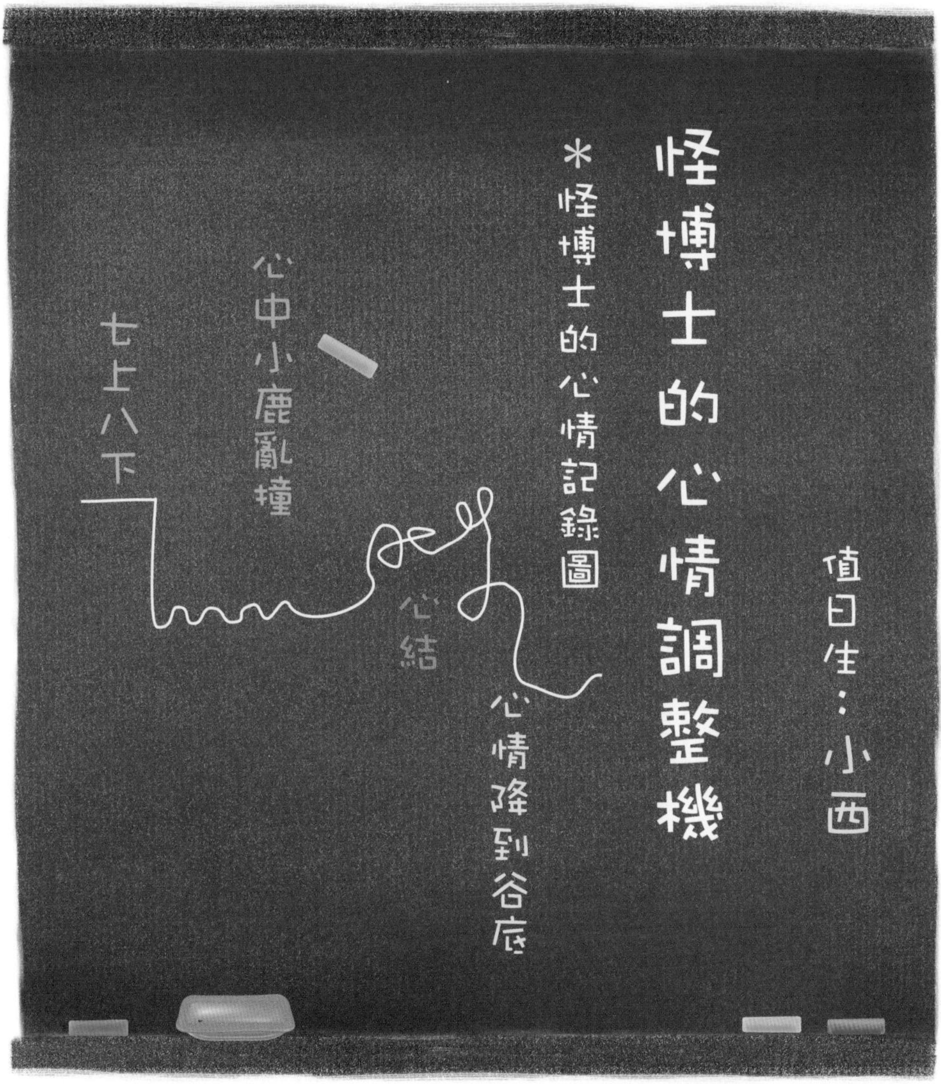
值日生：小西
怪博士的心情調整機
*怪博士的心情記錄圖
心情降到谷底
心結
心中小鹿亂撞
七上八下

機械人丁丁

（郭敏祥繪）

機械人丁丁垂頭喪氣，自己走到機械人工廠去。

「我需要修理。」它說。

修理工人東東走過來，它也是個機械人。

「你哪裏壞了？」

「我的心壞了。昨天我的小主人說：你這個壞心的機械人！」

「心？」東東抓抓頭。「我知道機械人有馬達、齒輪、發電機，還不曉得有心呢。來，告訴我，心在哪裏？」

丁丁打開胸口的小鐵門。

「應該在胸口吧。人家都說『心胸開朗』嘛。」

東東拿着手電筒往裏瞧。

「裏面的電線，亂七八糟的。」

「那就對了，人家都說『心亂如麻』嘛。」

丁丁說。

東東拿着螺絲起子在丁丁的電線堆裏面找呀找。

「那心到底長甚麼樣子呢？」

「鐵做的吧，鐵石心腸嘛。而且應該是灰色的，因為人家説心灰意冷嘛。」丁丁亂猜一通。「人家還説小心眼、膽大心細、一片苦心……你找找看，有沒有小小的、

細細的、薄薄一片的心？」

東東翻呀翻，找呀找，最後把手電筒一丟。

「哎呀，根本沒有這種東西！」

「心不在這裏嗎？」丁丁說：「難怪我的小主人總是說我心不在焉。」

丁丁低下頭，對着自己的胸口喊：

「心呀，我可愛的小甜心，你在家嗎？」

東東搖搖頭。「我看你頭腦也壞了。心會說話嗎？」

「心是活的，怎麼不會說話。」丁丁歪頭說。

「活的？」

「因為我的小主人常常生氣的說：『丁丁，你死了這條心

吧！』」丁丁說：「可見心是活的。」

「你到底做了甚麼事？讓主人這麼生氣？」

「我每次都想趁小主人坐下來的時候，把椅子搬開，讓他跌一跤，可是每次都被他發現，沒有成功。」丁丁說：「所以他就說：『丁丁，你死了這條心吧！我不會上當的！』」

「原來如此。」東東蒙住眼睛。

「不過，今天我終於成功了！」丁丁說：「小主人跌了一跤，就哭着罵我：『你這個壞心的機器人！』」

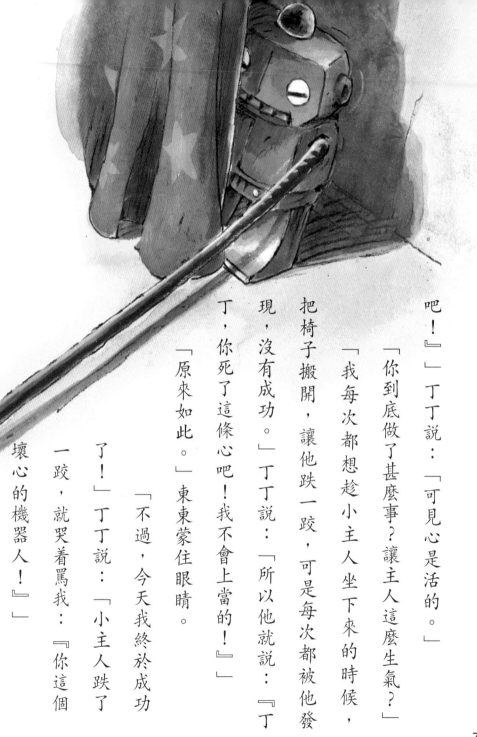

東東把頭搖得叮叮咚咚。

「你不用修理心啦。」東東說：

「你只要將心比心。」

「甚麼叫將心比心？」

「用自己的心，想想別人的心。

你喜不喜歡開心？」

「喜歡！」

「喜不喜歡傷心？」

「不喜歡！」

「那別人呢？」

「也跟我一樣吧！」

「對啦！你喜歡的，別人也喜歡。你不喜歡的，別人也不喜歡。將心比心，讓別人開心，不要讓人傷心，你就有顆好心啦！」

「我懂了！」丁丁蹦蹦跳跳回家去，一邊說：「我喜歡玩跌跤兒，小主人也一定喜歡。哈！我是個好心的機械人啦！」

機械人丁丁

值日生：丁丁

*丁丁的心情手札

小主人和我心有靈犀一點通，
他在想甚麼我都知道。

今天小主人送我一罐機油當生日禮物，
我感動得心都快融化了。

我每天都心平氣和過日子，小主人
應該跟我多學學。

小貓學園裏的汪汪

（黃純玲繪）

小貓學園今年來了一個轉學生，是小狗汪汪。

小貓們都不太喜歡汪汪，因為小狗總是傻呼呼的，又粗魯，不像小貓那麼優雅、懂禮貌。

雖然不喜歡汪汪，小貓們為了禮貌，還是會跟他說話，不過，他們的說法，就是有點不一樣——

早上上學時，大家見面都會互相打招呼：

「嗨！你來啦！」

可是大家看到汪汪，卻這麼說：「唉！你來啦！」

分配座位的時候，坐在一起的貓咪都會說：

「嘿！我坐你隔壁！」

可是坐在汪汪旁邊的貓咪卻說：

「嗚！我坐在你隔壁……」

有人跌倒的時候，其他貓咪都會趕快報告老師：

「啊！老師，他跌倒了！」

可是汪汪跌倒的時候，大家卻這麼說：

「哈！老師，他跌倒了！」

雖然只差一個字，可是就連老師都聽得出

來，汪汪是多麼不受歡迎。

「你們不可以這樣！」貓咪老師說：「對所有的同學，都要一樣相親相愛！」

可是，接下來發試卷，考一百分的同學，老師都會對他說：

「嘩！一百分！真是太棒了！」

汪汪考了一百分，老師卻這樣說：

「咦？一百分？」老師又仔細看了一次試卷，才說：「真是太棒了。」

雖然這樣，汪汪一點也不傷心，因為他是一隻開心的小狗，每天熱情如火，搖着尾巴跑來跑去，舔舔這隻貓咪的臉頰，抓抓那隻貓咪的尾巴，真是傻呼呼。

有一天，校園裏來了一隻又兇、又壞的大肥貓。他大搖大擺，把每隻貓咪都嚇壞了。只要有貓咪擋住他的路，大肥貓就會瞪他一眼，然後說：

「哼！你這傢伙！」

然後，那隻貓咪就會嚇得一邊哭，一邊跑開。

不過，汪汪遠遠看到這位「客人」，卻高興的跑過來，把大肥貓撲倒在地上，舔得他滿臉口水。

「哇！你這傢伙！」

大肥貓嚇得一邊哭，一邊跑開了。

其他貓咪們，都忍住沒有鼓掌，因為他們都是很優雅、又

有禮貌的小貓，不會在校園吵鬧。

不過，從今以後，大家對汪汪說話的時候，有一點小小的改變……

早上上學時，大家見面都會互相打招呼：

「嗨！你來啦！」

可是大家看到汪汪，卻這麼說：

「耶——！你來啦！」

值日生：汪汪

小貓學園裏的汪汪

*想想看，當汪汪考95分時，他希望爸媽有甚麼反應？

一、咦？考95分呀

二、耶！考95分呀

三、唉！考95分呀

推薦文

閱讀和文字，文字和閱讀

兒童文學專家
林良

關心兒童閱讀，是關心兒童的「文字閱讀」。

培養兒童的閱讀能力，是培養兒童「閱讀文字」的能力。

希望兒童養成主動閱讀的習慣，是希望兒童養成主動「閱讀文字」的習慣。

希望兒童透過閱讀接受文學的薰陶，是希望兒童透過「文字閱讀」接受文學的薰陶。

閱讀和文字，文字和閱讀，是連在一起的。

這套書，代表鼓勵兒童的一種新思考。編者以童話故事，以插畫，以「類聚」的手法，吸引兒童去親近文字，了解文字，喜歡文字；並且邀請兒童文學作家撰稿，邀請畫家繪製插畫，邀請學者專家寫導讀，邀請教學經驗豐富的小學教師製作習題。這種重視趣味的精神以及認真的態度，等於是為兒童的文字學習撤走了「苦讀」的獨木橋，建造了另一座開闊平坦的大橋。

導讀

字的心情

江艾謙 老師

甚麼是心情？它很難被一語道出，它就是一種感覺。

常常在公眾場合，發現年幼孩子表達情緒的方式比較直接、簡單，最常見的就是用又叫又跳表達高興，用哭表達生氣。但隨着年紀漸長，孩子會更細緻的區分情緒是有不同程度的，例如愉快和興奮便有程度上的差別；甚至一個事件隱含了各種情緒，例如被誤會時，除了受委屈之外，還會覺得生氣。文句中善用心情成語或比喻，能讓文章敘述更具體。

這本書透過故事裏幽默的對話，孩子一方面可以學着說出自己的心情，增進自我認識；另方面也可以與他人溝通心中的感覺，學習自在的面對人際間的喜怒哀樂。而溝通的前提就是要「具備相當的語言能力」。期待本書能帶領孩子學習用語言打開心扉。

一、開啟心中的感覺

由於心情是比較抽象的概念，「天使的心情遊戲」讓孩子專注在這個主題上，從故事中小天使細微的感覺變化，將說不出的感覺定位。在此可以問問孩子，是否也有如小天使心中那種酸溜溜、緊緊的、真希望那時沒那樣做……的感覺，再定位出這叫傷心、緊張、後悔……。了解自己後，才能進而啟發孩子的同理心，體會他人感受，並使用更精確的字眼道出對方的心情。

二、分辨情緒字眼的強弱程度

「企鵝爸爸，父親節快樂」、「我要生氣了」、「比傷心」這三個故事正好提供大量的情緒詞組，可以和孩子一起羅列出來，再區別情緒詞語的強弱程度。整理之後會發現，強度較低的情緒慣用語，感受程度多留在心中或只在表情上展現；強度越高的，會加上「動作、聲音」來傳達，另外同樣是加上「物」，也會因大自然的震撼效果（火、雷、天）而將生氣的感覺發揮到極致。以後要表達情緒時，別只是淨用生氣、高興、難過這些詞而已。

三、結合戲劇表現出情緒語調、表情及動作

情緒需要在真實情境下練習才能被引發出來，「心理劇」和「角色扮演」就

是運用這樣的原理。在「小貓學園裏的汪汪」一文中，所要呈現的重點是感歎修辭的使用：它多半用在感情比較強烈，須一吐為快時。但文句中不宜硬性添加，不然就成了無感而歎，反而失去效果。讀故事時，大人們可以口讀文字敘述部分，再由孩子結合情境，用適當的語調說出有感歎字眼的對白，體會感歎字的妙用。有了這樣的經驗，還可以選出其他生活用語，體會練習加入不同感歎字的效果。

在「小熊兄妹的快樂旅行」一文中，重點是在心情的表情和動作。關於這些手舞足蹈、急得團團轉、張牙舞爪、搖頭歎氣、愁眉苦臉……等用語，對原本了解意義的孩子會有直接的幽默效果；對不了解的孩子，也可透過故事情境，隱約感受到這些字詞真正的意思，或許理解方式與故事中的小熊略有不同（例如面紅耳赤，小熊的解釋是害羞，其他孩子的解釋可能是生氣）。不論哪種情形，都可以引發孩子對這些字詞的好奇心。

四、玩心情疊字的遊戲

山上的樹木，大大小小一株株排列着；高速公路上十幾二十輛汽車，一輛追隨着一輛，有秩序的行駛着。這樣的景象，看起來很特別，讓人印象深刻。疊字詞就是利用這個道理，將相同的字重複使用，以形容事物或動作，讓文句更傳神。我們可以找出三種疊字的方法試一試，特別將焦點擺在心情和感覺的用詞。在「淘氣公主的填字遊戲」一文中，可以發現這樣的文字規律。

○○×：飄飄然、悻悻然

○××：喜孜孜、紅通通、醉醺醺、臭兮兮、火辣辣、暖烘烘、冷颼颼

○○××：匆匆忙忙、懶懶散散、安安穩穩、扭扭捏捏、吞吞吐吐、歡歡喜喜

五、將心情名詞加在小短文中

如果說，「識」用在名詞中可以找到「知識、膽識、見識、常識、賞識」這五識，那麼「心」用在名詞中可是奪此類之冠。在「小巫婆的心情夾心糖」故事中，夾心糖裏包着熱心、決心、窩心、好奇心、同情心、天下父母心……琳瑯滿目的「心」，令人大開眼界。透過王子的反應，孩子可以了解各種抽象的心所傳達的感受。除了故事中提到的，還有一些未用到的心情名詞，大夥兒可以腦力激盪一番，找出更多心情名詞，運用在作文裏。

書　　名：小巫婆的心情夾心糖
編　　著：哲　也
繪　　圖：黃純玲　PiPi　林家蓁　郭敏祥
封面設計：郭惠芳
責任編輯：黃家麗
出　　版：商務印書館（香港）有限公司
香港筲箕灣耀興道三號東滙廣場八樓
http://www.commercialpress.com.hk
發　　行：香港聯合書刊物流有限公司
香港新界荃灣德士古道 220-248 號荃灣工業中心 16 樓
印　　刷：美雅印刷製本有限公司
九龍官塘榮業街六號海濱工業大廈四樓A室
版　　次：二零二二年四月第四次印刷
©二零一五商務印書館（香港）有限公司
ISBN 978 962 07 0407 9
Printed in Hong Kong